선녀와 나무꾼은...

마음씨가 착한 나무꾼이 사냥꾼으로부터 쫓기고 있는
사슴을 숨겨 주면서 이야기가 시작 됩니다.
은혜를 갚으려는 사슴의 아름다운 마음씨가 잘 나타나 있고
어머니를 생각하는 나무꾼의 효심도 아름답습니다.
하지만 사슴의 말을 지키지 못하여 슬픈 일이 생기고 말아요.
책을 읽으면서 내가 나무꾼이었다면 어떻게 했을까를 생각해 보세요.

2001년 4월 10일 초판 1쇄   2001년 6월 10일 초판 2쇄

글 신예영 / **그림** 한재홍 / **편집** 안지현, 이미희
펴낸곳 도서출판 새샘 / **펴낸이** 윤택진 / **등록** 1987년12월12일 제17-16호
주소 서울특별시 송파구 석촌동 157-6호 / **전화** 415-5041~2, 412-4856
편집부 2203-0942 / **제작부** 423-0455 / **팩스** 2203-0941
http://www.saesaem.co.kr / e-mail:saesaem@korea.com

ISBN 89-7405-446-9 77370 ISBN 89-7405-445-0 77370(세트)

지혜와 슬기 주머니 **새샘명작동화**

선녀와 나무꾼

신예영 글 한재홍 그림

도서출판 **새샘**

옛날, 어느 산골에 이
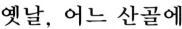 신 를 모시고 살고 있었어요.
 은 장가 갈 나이가 되었지만

색시감이 없었어요.

그래서 더욱 걱정이었죠.

' 가 더 늙기 전에

손자를 안겨 드려야 할텐데…….'

5

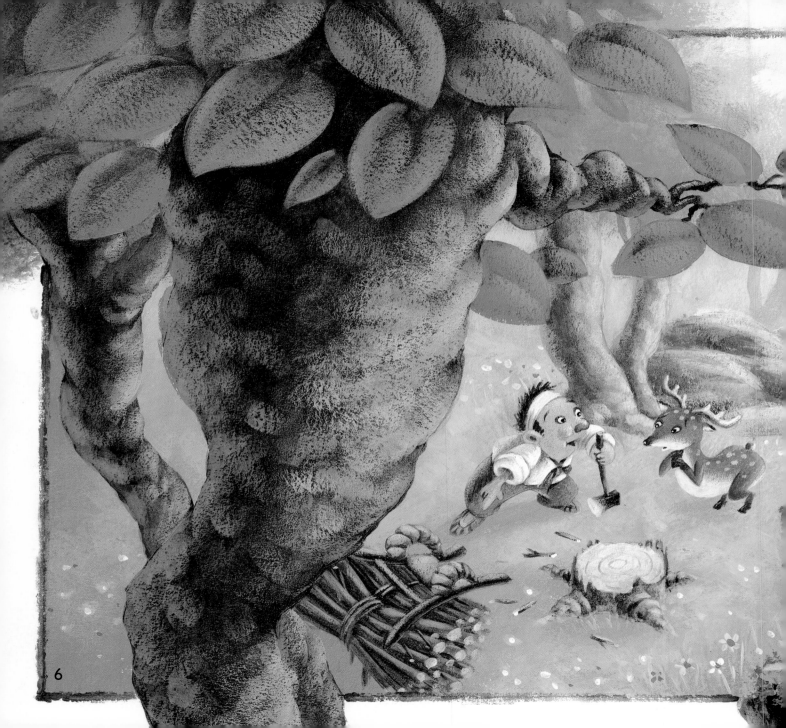

6

이 어머니 생각을 하며 나무를 하고 있을 때,

갑자기 한 마리가 헐레벌떡 달려와 말했어요.

"살려 주세요! 저를 좀 숨겨 주세요!"

나무꾼은 을 뒤에 얼른 숨겨 주었어요.

잠시 후 이 달려와 에게 물었어요.
사냥꾼　　　　　나무꾼

"혹시 한 마리를 못 보았소?"
사슴

"저 쪽으로 간 것 같아요."

은 나무꾼이 가리켜 준 쪽으로 갔어요.
사냥꾼

"고맙습니다. 은혜를 갚고 싶은데 소원을 말씀해 보세요."

"소원? 나야 장가를 가는 것이지. 어머니께 손자를 안겨 드리고

싶거든." "그러면 보름달이 뜨는 날 산꼭대기에 있는 연못으로

가 보세요. 선녀들이 목욕을 하고 있을 거예요.

그 때 날개옷 한 벌을 숨기세요."

"선녀의 날개옷을?"

"그 선녀를 아내로 삼으시고,

아이를 셋 낳을 때까지

날개옷을 주면 안 돼요."

○이 뜬 저녁 ☺은 연못가에 숨어서 지켜보았어요.
보름달　　　　　나무꾼

"와아! 정말 ☺☺이 목욕을 하네."
선녀들

☺은 살금살금 다가가 🧣 한 벌을 숨겼어요.
나무꾼　　　　　　　　　　　날개옷

잠시 후 목욕을 다한 ☺☺이
선녀들

옷을 입으러 나왔어요.

13

"얘들아 정말 기분이 좋지?"

"그래 매일 왔으면 좋겠어."

그 때 한 가 울먹이며 말했어요.
선녀

"얘들아! 내 이 없어졌어."
날개옷

"아니 뭐야? 그럴 리가 없잖아 잘 찾아 보자."

이 모두 찾아 보았지만
선녀들

한 선녀의 은 보이지 않았어요.
날개옷

"애들아 가야 할 시간이야."

"너희들 먼저 올라가."

다른 은 모두 하늘나라로 올라가고
선녀들

옷을 잃어버린 는 울고 있었어요.
선녀

그 때 이 준비해 온 옷을 가지고 조심스럽게 다가갔어요.
나무꾼

"저어, 이 옷을 입으세요."

"어머나! 당신은 누구세요?"

"선녀님 용서하세요.

사실은 제가 의 을 숨겼어요."

선녀님 날개옷

"그게 정말이세요? 그럼 얼른 주세요."

"제 소원을 들어 주시면 드리겠어요."

"소원을 말씀해 보세요."

"제 아내가 되어 아이를 셋만 낳아 주세요."

"네?"  이 사정 얘기를 하자

나무꾼

 는 그렇게 하기로 하였어요.

선녀

이 선녀를

집으로 데리고 가자

가 매우 좋아하셨어요.

어머니

"하늘이 도우셨구나!

어디서 저렇게 예쁜 며느리를 구했을고."

그렇게 하여 선녀는 나무꾼의 아내가 되어 아들 딸 둘을 낳고

어머니도 잘 모시며 행복하게 살았어요.

20

그렇게 생활하는 가운데서도 이 생각날 때면

선녀는 하늘나라를 그리워하며 울곤하였어요.

하루는 가 너무나 슬피 울며  에게 말했어요.

"여보! 꼭 한 번만 입어 보게 해 주세요."

"안 돼요. 아이를 하나만 더 낳을 때까지 조금만 기다려요."

"딱 한 번만 입어 보고 드릴게요."

마음이 약한 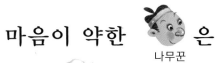 은
나무꾼

그만 을 내 주었어요.
날개옷

 을 입자 의 몸은 점점 가벼워지며
날개옷   선녀

하늘로 날아오르고 싶어졌어요.

참지 못한 는 을 안고
선녀   아이들

하늘로 올라가며 말했어요.

"여보! 미안해요!"

"안 돼요! 내려와요!"

24

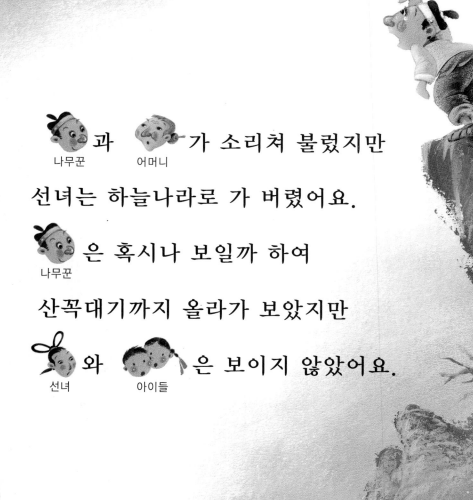

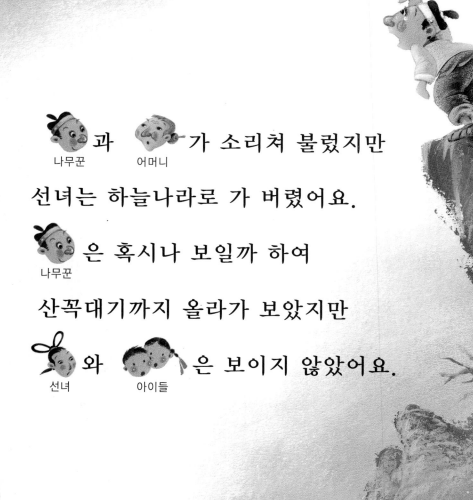과 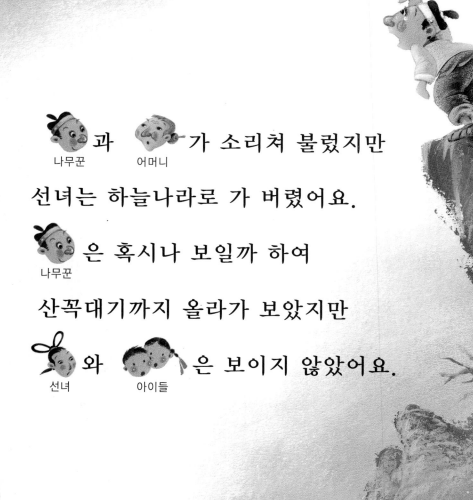가 소리쳐 불렀지만

나무꾼   어머니

선녀는 하늘나라로 가 버렸어요.

은 혹시나 보일까 하여

나무꾼

산꼭대기까지 올라가 보았지만

와 은 보이지 않았어요.

선녀   아이들

26

 이 울고 있을 때
나무꾼

 이 나타나 말했어요.
사슴

"아저씨! 왜 그렇게 울고 계세요?"

"우는 아내가 가여워서 그만 흑흑흑……."

"약속을 잊어 버리셨군요."

은 이 불쌍해 보여서

한 가지 방법을 알려 주었어요.

" 이 뜨는 날 밤이 되면 그 연못으로 가 보세요.

그 일 이후로 은 으로 물을

길어 올려 목욕을 해요.

두레박이 내려오면 그 에 올라 타세요."

"사슴아 고마워."

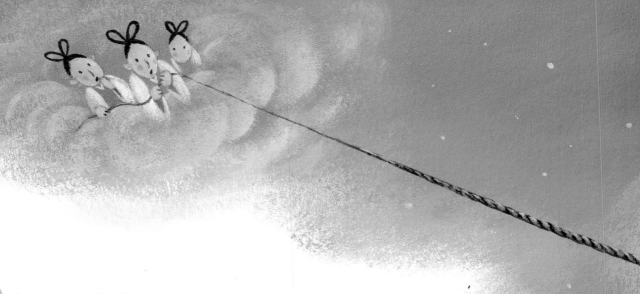

은 보름달이 뜨는 날 밤

연못가에서 두레박이 내려오기만을 기다렸어요.

달이 환하게 비칠 때 이 스르륵 내려왔어요.

은 얼른 에 올라탔어요.

그 사실도 모른 채 물을 길어 올리던

은 깜짝 놀랐어요.

30

"어머! 당신은?"

의 아내는 반가워하며 을 데려왔어요.

나무꾼　　　　　　　　　　아이들

"아버지!" "얘들아!"

"여보! 이 곳에서 우리 함께 살아요."

은 행복한 시간들을 보냈어요.

나무꾼

하지만 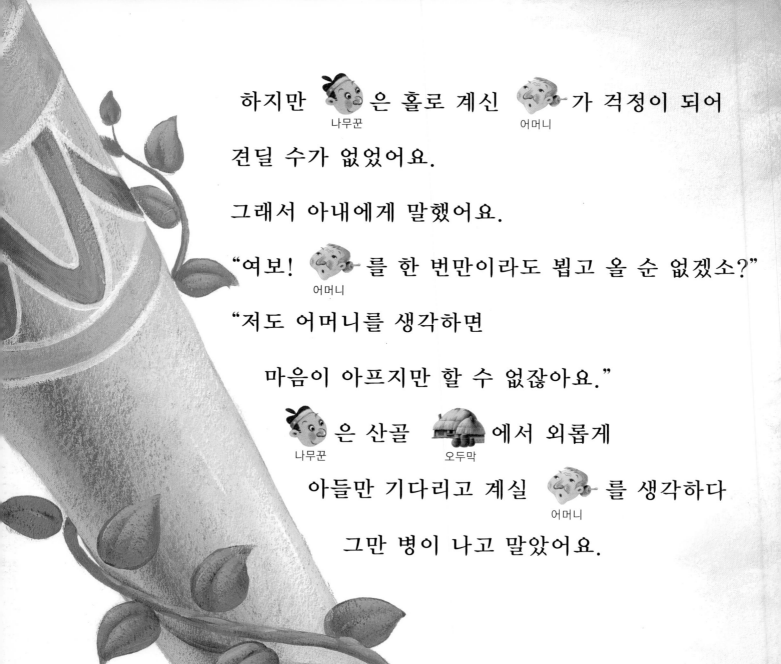은 홀로 계신 어머니가 걱정이 되어

견딜 수가 없었어요.

그래서 아내에게 말했어요.

"여보! 어머니를 한 번만이라도 뵙고 올 순 없겠소?"

"저도 어머니를 생각하면

마음이 아프지만 할 수 없잖아요."

나무꾼은 산골 오두막에서 외롭게

아들만 기다리고 계실 어머니를 생각하다

그만 병이 나고 말았어요.

그 모습이 너무나 안쓰러워 (선녀) 는

(옥황상제) 께 부탁을 드려 (용마) 를 한 마리 몰고 왔어요.

"여보! 이 말을 타고 (어머님) 을 뵙고 오세요."

"여보! 고마워요. 얼른 다녀오리다."

"잠깐! 꼭 명심할 것이 있어요.

그 (용마) 에서 절대로 내리시면 안 돼요."

그러면 다시는 이 곳에 돌아올 수가 없어요."

"알겠소, 명심하리다."

은 를 타고 어머니가 계신 에 도착하였어요.

"어머니! 어머니! 제가 왔어요."

"콜록 콜록, 누구신가?"

" 저예요!" "아니 이게 꿈이냐 생시냐?"

"어머니 불효 자식을 용서하십시오."

39

그 동안 어머니 는 아들 걱정에

제대로 드시지도 못하여 더욱 야위어 보였어요.

"애야, 얼른 방으로 가서 어디서 뭘 했는지

애기나 좀 해 보거라."

"어머니, 저는 이 용마 에서 내릴 수가 없어요. 사실은……."

은 그 간의 얘기를 하고

나무꾼

의 손만 잡아 보고 가려했어요.

어머니

하지만 어머니의 마음은 그렇지 않았어요.

"그럼 네가 좋아하는 이라도 한 그릇 먹고 가거라."

호박죽

어머니는 부엌에서 갓 쑨

호박죽 한 그릇을 가져왔어요.

호박죽

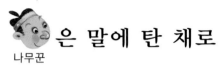 은 말에 탄 채로

 을 먹다가 손에 호박죽을 떨어뜨렸어요.

"앗 뜨거워!"

나무꾼은 놀라서 그만  그릇을

 의 등에 엎질러 버렸어요.

"히-잉! 히-잉!"

용마가 놀라서 뛰는 바람에

나무꾼은 땅에 떨어지고

 는 하늘로 날아가 버렸어요.

45

46

"안 돼! (용마)야 돌아와!"

용마는 돌아오지 않았어요.

(나무꾼)은 산꼭대기에 있는

연못으로 가 보았지만

(두레박)은 다시 내려오지 않았어요.

(나무꾼)은 며칠이 지나도록 그 연못을 떠나지 않고

두레박을 기다리다 그만 죽고 말았어요.

(나무꾼)의 그 애달픈 넋은 (수탉)이 되어

지금도 높은 곳에만 올라가면 하늘을 바라보며

목을 길게 빼고 운다고 합니다.

'선녀와 나무꾼'의 전체 내용 중 각 장면의 내용을 간단하게 표현하였습니다. 각 내용에 알맞은 그림을 스티커에서 찾아 붙여 보세요.

① 옛날, 어느 산골에 나무꾼이 늙으신 어머니를 모시고 살고 있었어요.

② 나무꾼이 나무를 하고 있을 때, 갑자기 사슴 한 마리가 달려와 숨겨 달라고 하였어요.

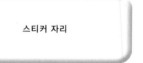
스티커 자리

③ 잠시 후 사냥꾼이 달려와 사슴을 찾았지만 나무꾼은 사슴을 숨겨 주고 사냥꾼에게는 다른 쪽으로 갔다고 말했어요.

④ 사슴은 은혜를 갚기 위해서 나무꾼의 소원을 들어 주기로 하였어요.

스티커 자리

⑤ 연못가에 몰래 숨어있던 나무꾼은 사슴이 일러 준대로 날개옷 한 벌을 숨겼어요.

⑥ 목욕을 다한 후, 한 선녀가 자기의 날개옷이 없어진 걸 알았어요.

⑦ 옷을 잃어버린 선녀에게 나무꾼은 준비해 온 옷을 가지고 다가갔어요.

스티커 자리

⑧ 나무꾼은 선녀에게 아내가 되어 아이 셋을 낳아 달라고 하였어요.

두명

⑨ 선녀는 나무꾼의 아내가 되어 아이 둘을 낳고 어머니를 모시고 행복하게 살았어요.

⑩ 하지만 선녀는 날개옷이 생각날 때마다 하늘나라를 그리워하였어요. 그래서 나무꾼은 날개옷을 내 주었어요.

스티커 자리

⑪ 날개옷을 입은 선녀는 아이들을 안고 하늘로 올라가 버렸어요.

|커 자리
사냥꾼

⑫ 나무꾼이 아내와 아이들을 잃고 슬퍼하고 있을 때 사슴이 나타났어요.

48

⑬ 사슴은 나무꾼에게 하늘나라로 갈 수 있는 방법을 알려 주었어요.

⑭ 나무꾼은 선녀들이 물을 길어 올리는 두레박을 타고 하늘나라로 올라갔어요.

⑮ 아내와 아이들은 나무꾼을 보자 너무나 반가웠어요.

⑯ 나무꾼은 오두막에 홀로 계신 어머니가 걱정되어 병이 났어요.

⑰ 선녀는 나무꾼에게 어머님을 뵙고 오라며 용마를 내 주고 용마에서 내리면 안 된다고 하였어요.

⑱ 나무꾼은 용마를 타고 어머니가 계신 오두막에 도착하였어요.

⑲ 어머니는 나무꾼과 얘기를 하고 싶어했지만 나무꾼은 용마에서 내릴 수가 없었어요.

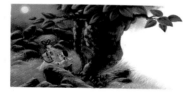

⑳ 어머니는 나무꾼에게 호박죽이라도 먹고 가라고 했어요.

㉑ 나무꾼은 뜨거운 호박죽을 먹다가 용마의 등에서 떨어지고 말았어요.

㉒ 용마가 가버린 후 나무꾼은 두레박을 기다리다 죽고 말았어요.
그 넋은 수탉이 되었습니다.

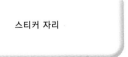

49

앞에서 읽은 '선녀와 나무꾼'을 잘 생각하며 질문에 맞는 답을 스티커에서 찾아 붙여 보세요.

1. 나무꾼은 어머니와 함께 산골 어디에서 살고 있었나요?

스티커 자리

2. 나무꾼은 나뭇짐 뒤에다 누구를 숨겨 주었나요?

스티커 자리

3. 사슴을 쫓고 있었던 사람은 누구였나요?

스티커 자리

4. 사슴은 나무꾼에게 무엇이 뜨는 날에 연못으로 가 보라고 하였나요?

스티커 자리

5. 사슴은 나무꾼에게 몇 명의 아이를 낳을 때 까지 날개옷을 주지 말라고 하였나요? (그림 스티커나 글자 스티커 중에서 붙이세요.)

스티커 자리

6. 나무꾼은 선녀들이 목욕하는 사이에 무엇을 몰래 숨겼나요?

스티커 자리

7. 선녀를 집으로 데리고 갔을 때 누가 기뻐하였나요? 스티커 자리

8. 선녀는 나무꾼과 결혼을 하여 몇 명의 아이를 낳았나요? 스티커 자리
   (그림 스티커나 글자 스티커 중에서 붙이세요.)

9. 나무꾼은 하늘나라로 올라갈 때 무엇을 타고 갔나요? 스티커 자리

10. 나무꾼은 하늘나라에서 어머니를 만나기 위해 무엇을 타고 왔나요? 스티커 자리

11. 어머니는 나무꾼에게 무엇을 주었나요? 스티커 자리

12. 나무꾼은 용마가 떠난 뒤 울다가 죽고 말아요.
    그 넋은 무엇이 되었다고 하였나요? 스티커 자리

지혜와 슬기 주머니　새샘명작동화

① **선녀와 나무꾼**
신예영 글 한재홍 그림

② **인어공주**
신예영 글 박선영 그림

③ **곰 세마리 잭과 콩나무**
신예영 글 유현경 그림

④ **엄지공주**
신예영 글 김민선 그림

⑤ **못생긴 아기오리**
신예영 글 김승민 그림

⑥ **백설공주**
신예영 글 박선영 그림

⑦ **아기돼지 삼형제**
신예영 글 김승민 그림

⑧ **은혜갚은 호랑이 토끼와 자라**
신예영 글 김승민 그림

⑨ **효녀심청**
신예영 글 김윤주 그림

⑩ **콩쥐 팥쥐**
신예영 글 한재홍 그림

⑪ **신데렐라**
신예영 글 안윤혜 그림

⑫ **빨간 모자**
신예영 글 임소정 그림

⑬ **헨젤과 그레텔**
신예영 글 전병준 그림

⑭ **흥부와 놀부**
신예영 글 윤혜영 그림

⑮ **황금거위**
신예영 글 김민선 그림

⑯ **장화신은 고양이**
신예영 글 안윤혜 그림

⑰ **혹부리 할아버지 소가 된 게으름뱅이**
신예영 글 김민선 그림

⑱ **피터팬**
신예영 글 김해민 그림

⑲ **피노키오**
신예영 글 이대원 그림

⑳ **벌거벗은 임금님**
신예영 글 김민선·윤혜영 그림